A James, que hace que siempre todo sea posible

y a nuestro pequeño Eolo que ha vivido este proyecto dentro y fuera de mí.

Minicuentos
de GATOS y PATOS
para ir a dormir

Ilustraciones de Cristina Quiles

Beascoa

Primera edición: marzo de 2012
Segunda edición: junio de 2012
Tercera edición: diciembre de 2012

© 2012, Random House Mondadori S.A.
Travessera de Gràcia, 47-49
08021 Barcelona

Texto: © 2012, Magela Ronda
Ilustraciones: © 2012, Cristina Quiles
Diseño y maquetación: Araceli Ramos

ISBN: 978-84-488-3363-3
Depósito legal: B-32740-2012
Impreso y encuadernado en: Egedsa (Sabadell)

BE 3 3 6 3 3

Minicuentos de GATOS y PATOS para ir a dormir

La gatita presumida

La gata Mimitos
es muy presumida.

Se sienta en su espejo
  y se pone lacitos.
De color de rosa,
  de color azul…

La gata Mimitos
siempre lleva vestido.

Con lazos y tules.
    Faldas muy largas
y telas de colores.

La gata Mimitos
todas las mañanas
sale a pasear.

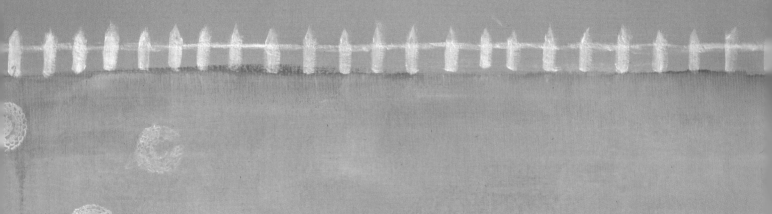

Montada en su bici
recoge las flores
que encuentra al pasar.

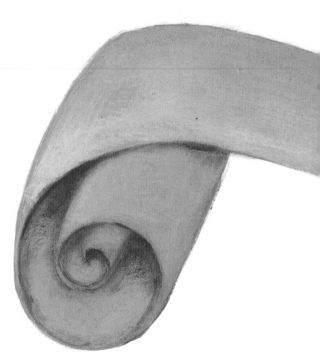

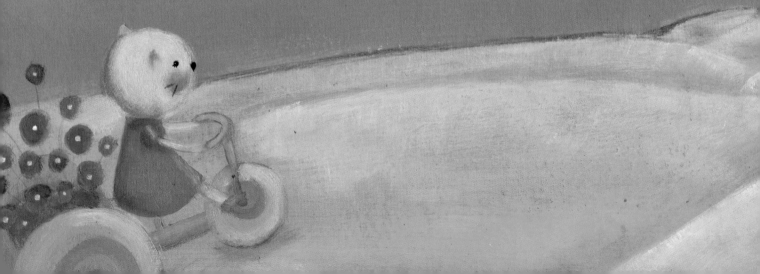

La gata Mimitos
cuando llega al parque,
encuentra a sus amigos
jugando en el estanque.

Y en un periquete...

ni lazos,

ni tules,

ni orlas

ni volantes.

¡Es mejor jugar que ir muy elegante!

Minicuentos de GATOS y PATOS para ir a dormir

Dos gatos gemelos

Mis y Fu son gatos gemelos.
Mis tiene los ojos azules
y Fu los tiene negros.

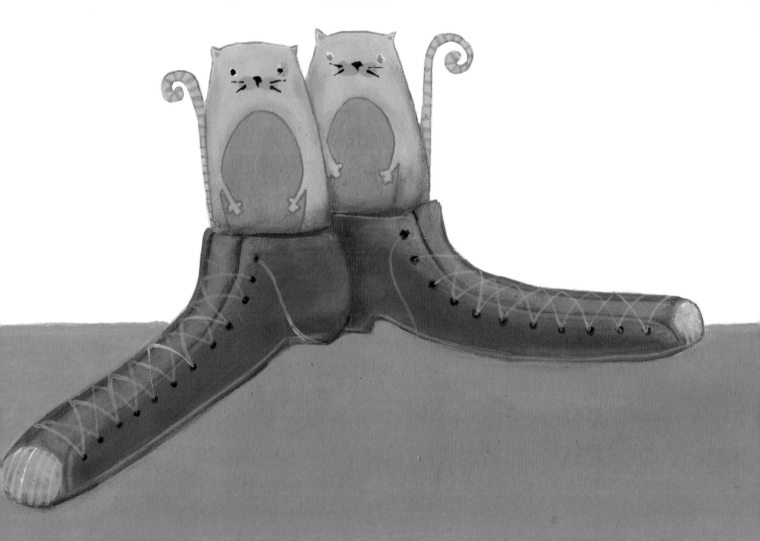

A Mis le gusta jugar
con muñecas y sombreros.
Fu prefiere su camión de bomberos.

A **Mis** le gusta
recoger caracolas.
Fu prefiere surfear
en las olas.

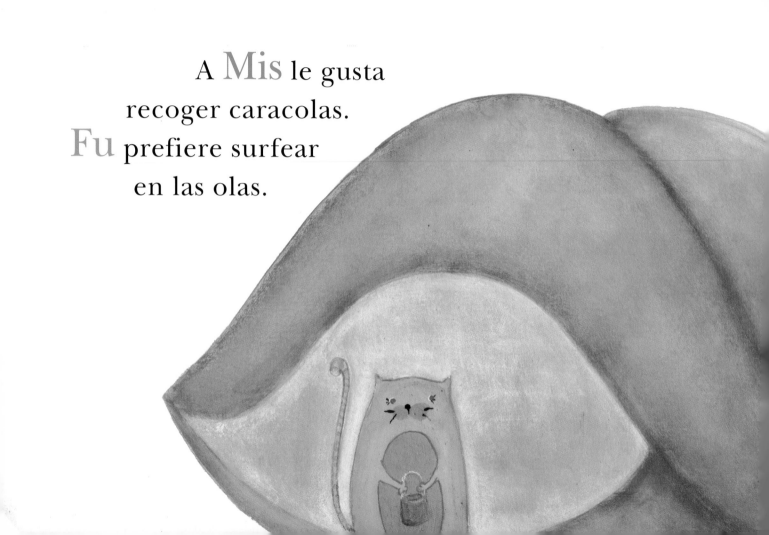

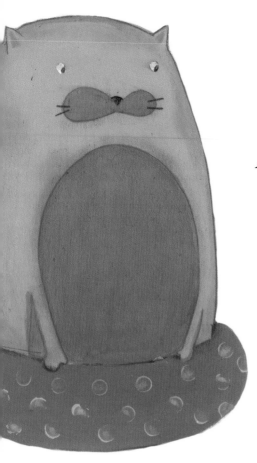

A **Mis** le gusta disfrazarse
de bailarina
Fu prefiere nadar
en la piscina

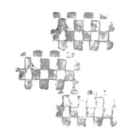

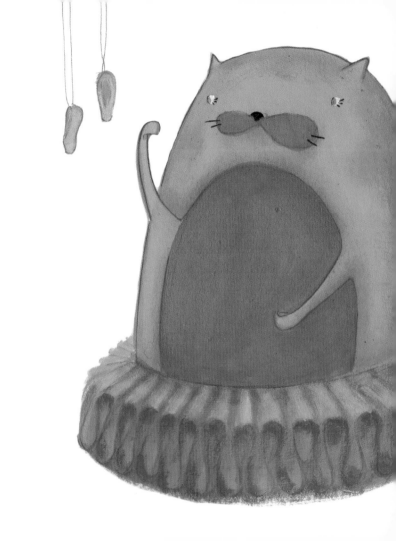

A Mis le gustan
las películas de amor.
Fu prefiere las pelis de terror.

A **Mis** le gusta jugar a la oca,
Fu prefiere dar patadas
a la pelota.

A **Mis** le gusta cantar y bailar.
Fu prefiere jugar a explorar.

Pero cuando asoma la luna
por la ventana
y **Mis** y **Fu** se van a la cama.
Los dos tienen el mismo deseo:
Mamá cuéntanos el cuento
de los dos gatos gemelos…

Minicuentos de GATOS y PATOS para ir a dormir

Cuando sea mayor

El gato Joaquín,
cuando sea mayor,
quiere ser explorador
y descubrir un tesoro
de monedas de oro.

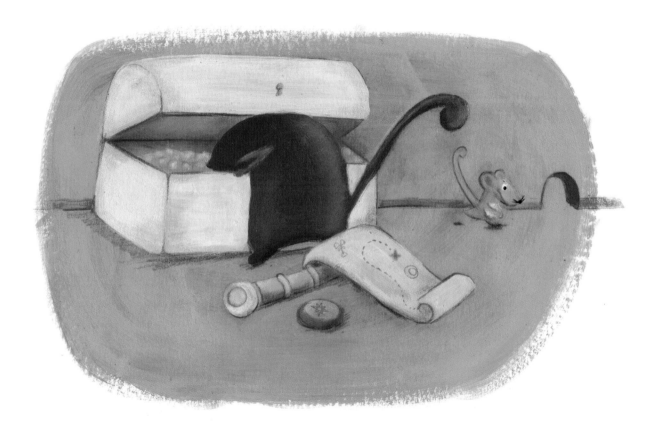

El gato Joaquín,
cuando sea mayor,
quiere ser capitán
y a bordo de un velero
recorrer el mundo entero.

El gato Joaquín,
cuando sea mayor,
quiere ser piloto
y hacer piruetas volando
en su avioneta.

El gato Joaquín,
cuando sea mayor,
quiere ser astronauta
y vivir aventuras
mientras explora la luna.

El gato Joaquín,
cuando sea mayor,
quiere ser domador…
de pulpos con trece patas
y de elefantes gigantes.

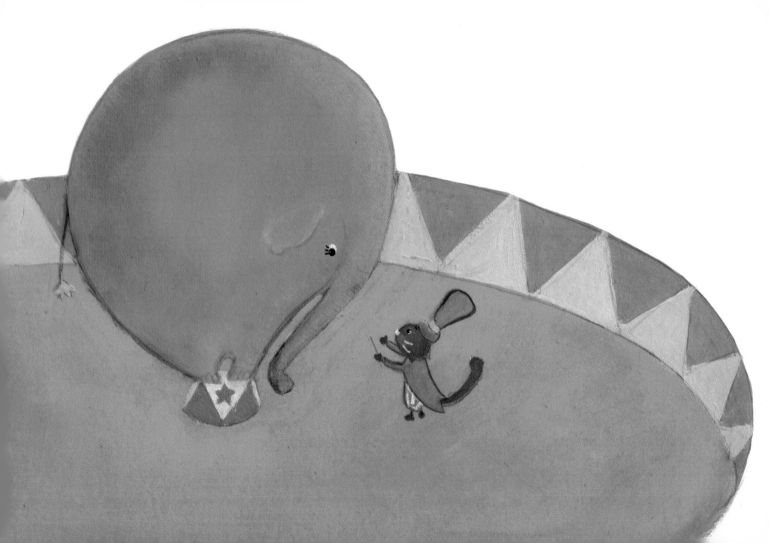

El gato Joaquín,
cuando sea mayor,
quiere ser súper héroe
y luchar contra villanos malvados.
¡Está chupado!

El gato Joaquín,
cuando sea mayor,
quiere ser inventor
e inventar la receta
de la sopa de galleta.

El gato Joaquín,
cuando sea mayor,
quiere ser escritor
para contar sus historias
de barcos
y tesoros
y montañas
y planetas…

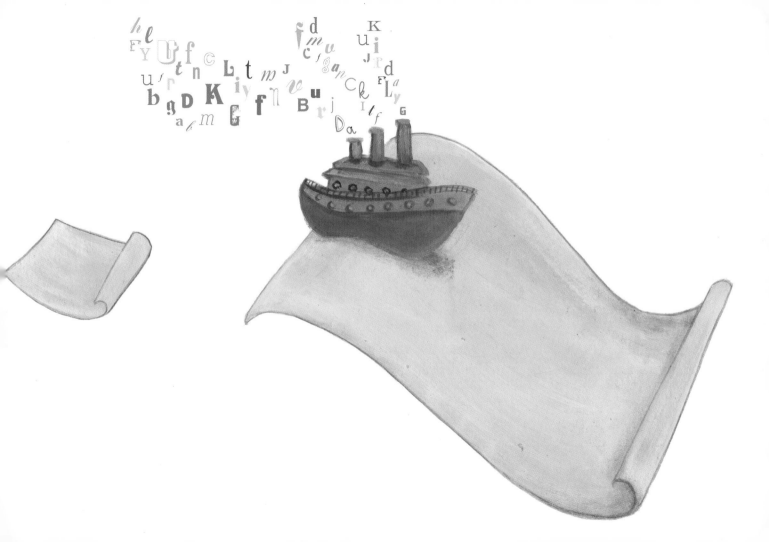

Minicuentos de GATOS y PATOS para ir a dormir

Un día en la playa

Patricia Pato prepara la mochila
para ir a la playa:
sombrero,
toalla,
un cubo,
una pala,
un dragón y una princesa…
¿un dragón y una princesa?

Encuentra un sitio en la arena
y prepara con esmero el cubo,
la pala, el dragón y la princesa,
la sirena y la ballena...
¿la sirena y la ballena?

En la orilla busca piedras,
palos,
conchas,
caracolas y una madera amarilla…
¿una madera amarilla?

Baja hasta el fondo del mar,
a buscar entre las rocas
              una estrella y dos cangrejos.
Los peces la miran perplejos...
              ¡dos cangrejos!

Patricia Pato ya hace un rato
que está sentada en la orilla con el cubo,
la pala, el dragón y la princesa,
la sirena y la ballena,
las piedras, palos, conchas, caracolas,
una madera amarilla,
una estrella, dos cangrejos...

Un poco de agua,
mucha arena,
aquí pongo la ballena.
El dragón, que es un tragón, en lo alto del torreón;
las conchas y caracolas
para que no lleguen las olas
hasta el salón de la casa.
¿Adivinas lo que pasa?

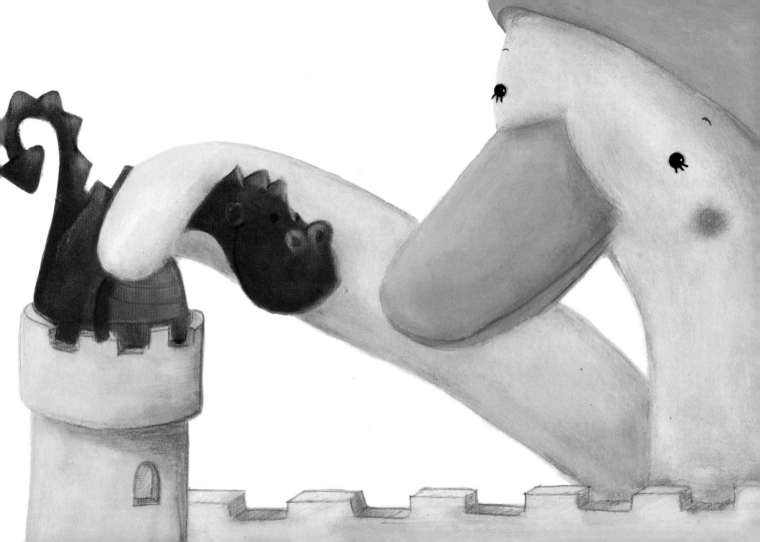

Y como por arte de magia,
como si fuera un hechizo:
un palacio,
¡un castillo!
con torreones y almenas,
con ventanas y balcones
y princesas y sirenas
y dragones y ballenas...

¡Uf! ¡qué cansado es imaginar
mundos nuevos para jugar!
Patricia Pato metida en la cama,
sueña con lo que hará mañana.
«Construiré una nave espacial
hecha de conchas y arena
para llegar justo
al centro
de la luna llena.»

Minicuentos de GATOS y PATOS para ir a dormir

El regalo sorpresa

Una mañana, al hacer la cama,
el pato Pepito encontró un botón
debajo del colchón.

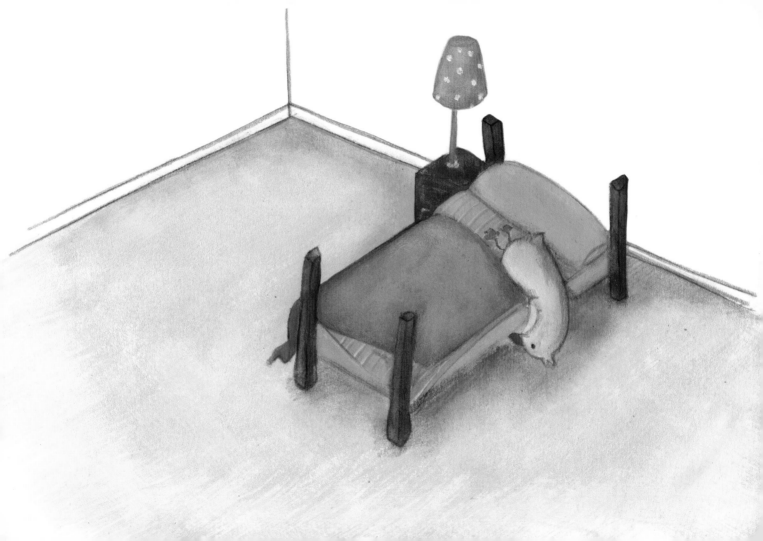

—No es un botón, Pepito —explicó Mamá Pata con mucho misterio—. Es una cajita que esconde un secreto. Si la quieres abrir, plántala en una de las macetas del jardín.

El pato Pepito
no dudó ni un minuto: cogió la regadera,
se puso guantes,
un gorro
y unas botas elegantes.
–¡Esta maceta es bonita!
¡Para mi cajita!

El pato Pepito,

    cada mañana, riega su cajita.

        –Buenos días, cajita,

    ¿has dormido bien?

      ¿has crecido está noche?

Mañana te vengo a ver.

El pato Pepito espera y espera que pase el invierno y la primavera.

Y mientras espera,
tumbado en el suelo comiendo buñuelos,
sueña despierto con el secreto de su cajita.
¿Saldrá un barco pirata?
¿crecerá un sombrero?
¡¿o un camión de bomberos?!

El pato Pepito, cansado de esperar,
como ya es verano se va al estanque a jugar.
Cuando vuelve de nadar,
le está esperando, alegre, su mamá.
–Pato Pepito, date prisa, ven aquí,
¡hay una sorpresa para ti!

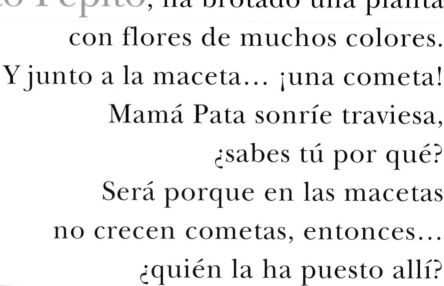

De la maceta bonita, que guardaba la cajita del pato Pepito, ha brotado una planta con flores de muchos colores. Y junto a la maceta… ¡una cometa! Mamá Pata sonríe traviesa, ¿sabes tú por qué? Será porque en las macetas no crecen cometas, entonces… ¿quién la ha puesto allí?

Minicuentos de GATOS y PATOS para ir a dormir

La escayola

Pablo Pato hoy no ha ido a la escuela. Se cayó esta mañana al saltar de la cama.

Doctor Pato le ha puesto una escayola.
Mamá le ha dado muchos besos,
pero Pablo Pato aún llora que llora.

Pablo Pato,
aburrido y dolorido,
se sienta en su columpio.
Está más que triste, tristón.
La escayola le molesta un montón.

Pablo Pato se aburre,
¡no sabe qué hacer!
¿Dormir, merendar, dibujar?
–¡Mamá, me aburro!
No puedo correr,
no puedo saltar,
¡no sé qué hacer!

–Mira por la ventana, Pablo Pato
que tienes visita.
Deja de protestar,
¡todos tus amigos vienen a jugar!

Pablo Pato y sus amigos
meriendan chocolate y magdalenas
delante de la chimenea.

Pablo Pato tiene la escayola
llena de dibujos, firmas y notas.

Sin que nadie la vea,
Lola Pato le ha dibujado un corazón.
   –¡Pablo Pato, qué rojo te has puesto!
      ¿es que no te encuentras bien?
         –pregunta Mamá Pato tomándole
                  la temperatura.

A **Pablo Pato** ya no le molesta la escayola.
Esa noche se duerme mirando
el corazón de Lola.

Minicuentos de GATOS y PATOS para ir a dormir

Primer día de cole

Hoy es el primer día de clase
de la gata Inés.

Y también es el primer día de clase del pato Manuel.

Inés desayuna tostadas con mermelada.
Está feliz y nerviosa,
con el estómago lleno de mariposas.

Manuel desayuna leche, cereales y azúcar.
Es hora de ir al colegio,
y está nervioso, asustado y preocupado.

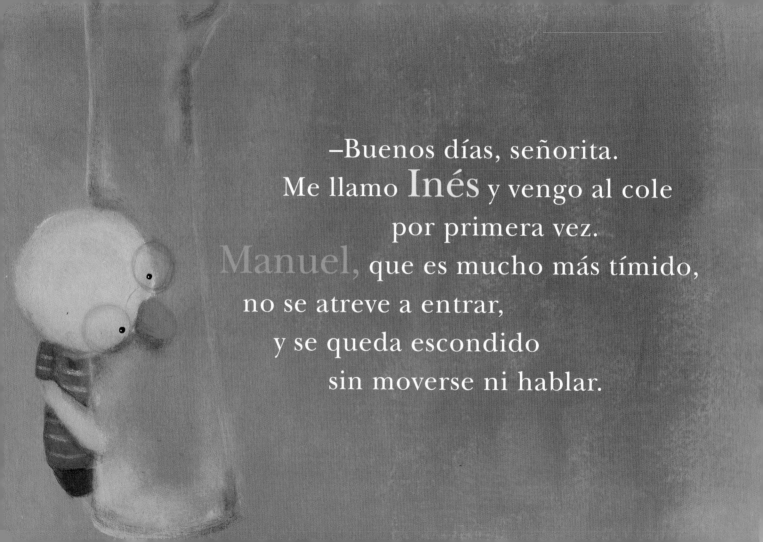

—Buenos días, señorita.
Me llamo **Inés** y vengo al cole
por primera vez.
Manuel, que es mucho más tímido,
no se atreve a entrar,
y se queda escondido
sin moverse ni hablar.

¡Suena el timbre! ¡Ya es hora!
–Tenemos compañeros nuevos

–anuncia la profesora.
Inés saluda con la mano,
Manuel se ha puesto colorado.

Pobre Manuel,
¡vaya un pato despistado!
La merienda se ha olvidado.
–¡Yo la comparto contigo!
–dice la gata Inés–.
Ahora ya somos amigos.

Es hora del recreo, ¡cuánto jaleo!
Inés y Manuel comparten su bocadillo.
–¡Corre, corre!
¡que te pillo!

Y colorín colorado...